Chi
une vie
de chat

Konami Kanata

6

Glénat

Sommaire

93 : Chi laisse des traces 3
94 : Chi est contrariée 11
95 : Chi se bat en duel 19
96 : Chi visite 27
97 : Chi propose 35
98 : Chi passe une bonne journée 43
99 : Chi s'amuse 51
100 : Chi fait la fête 59
101 : Chi dialogue 67
102 : Chi se fait aspirer 75

103 : Chi fait tomber 83
104 : Chi épie 91
105 : Chi joue avec Alice 99
106 : Chi est imitée 107
107 : Chi reçoit un collier 115
108 : Chi sort 123
109 : Chi reste dehors 131
110 : Chi avance 139

News spéciale : **Chi se poursuit en dessin animé**. 147

5

6

14

Chat pitre 94 / fin

21

Chat pitre **96** Chi visite

DES
PROIES...

MAIS TROP
HAUT...

ET TOUTES
GROUPÉES...

Chat pitre 96 / fin

Chat pitre 97 / fin

44

47

Chat pitre 98 / fin

53

55

Chat pitre 99 / fin

61

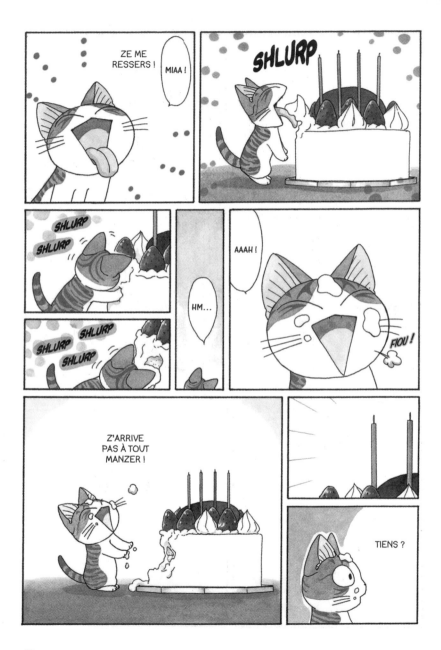

Chat pitre 100 / fin

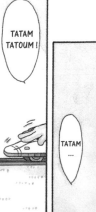

POUSSE-TOI, CHI.

JE PASSE L'ASPIRATEUR, ÉCARTE-TOI.

MIAH ?

Chat pitre 102 / fin

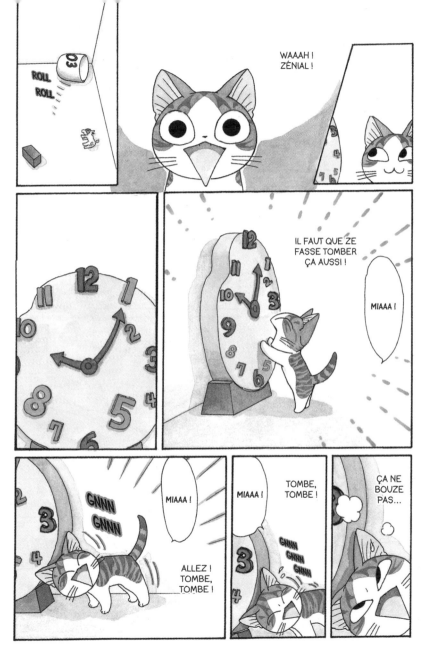

Chat pitre 103 / fin

Chat pitre 104 / fin

101

Chat pitre 105 / fin

CUI
CUI

CUI
CUI

CUI
CUI

UNE
PROIE...

IL Y A
UNE
PROIE !

MIA !

NYA...

*Ma foi…
C'est
possible.*

CUI
CUI

ZE SUIS
SÛRE QUE
C'EST UNE
PROIE !

MIAA !

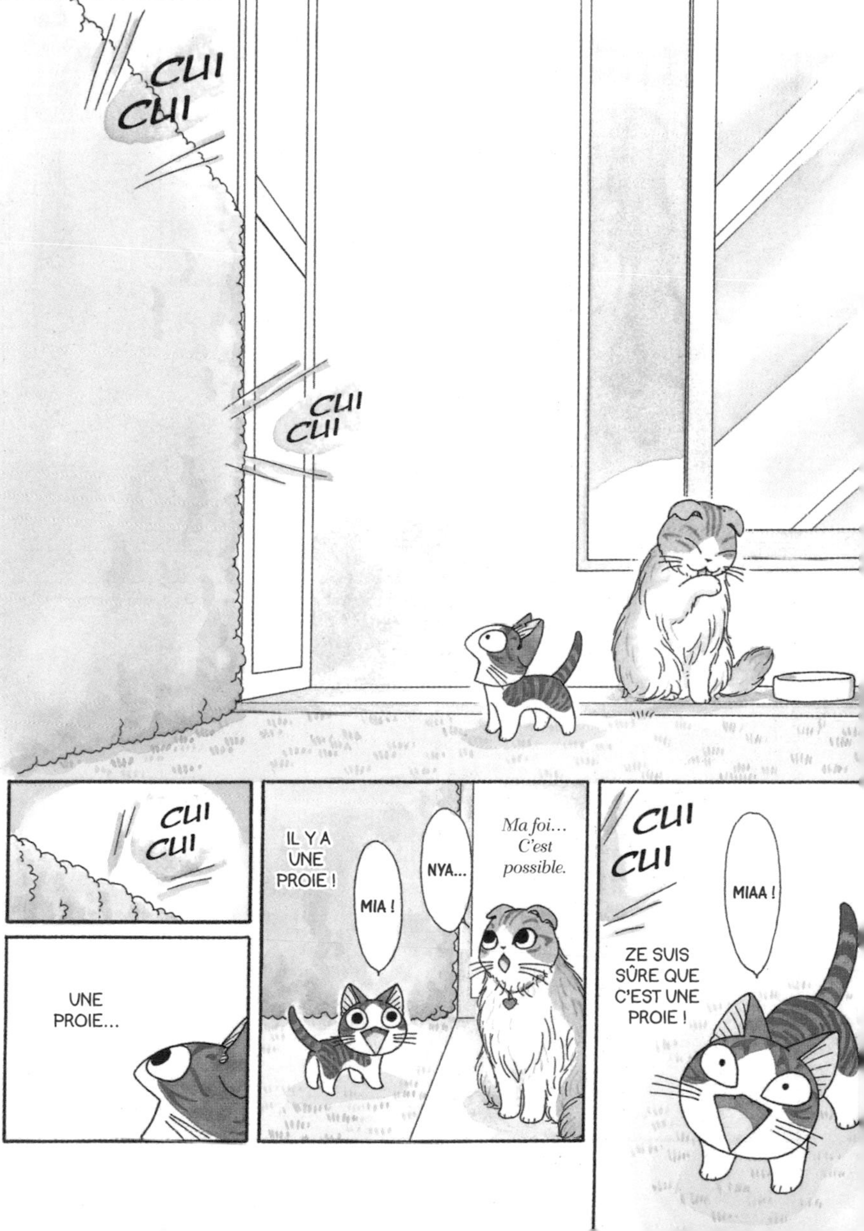

TAP TAP TAP TAP TAP TAP TAP

TIULING

C'EST UN COLLIER POUR CHI.

IL A MÊME UN GRELOT...

ET UNE MÉDAILLE AVEC SON PRÉNOM !

Chi

J'AI BEAUCOUP HÉSITÉ AVANT DE LE CHOISIR...

Ha Ha Ha

QU'IL EST JOLI !

MIAH ?

C'EST QUOI ?

119

Chat pitre 107 / fin

126

FRSH

FRSH

!

OOOH !

MIAH !

ALLEZ, OUSTE ! RENTRE CHEZ TOI !

NYAR !

WAAAH !

ZE VEUX PAS !

MIA !

MIAA !

ZE VIENS AVEC TOI !

TILING

TAP

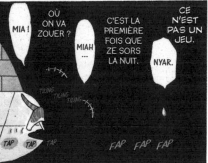

MIA !

OÙ ON VA ZOUER ?

MIAH ...

C'EST LA PREMIÈRE FOIS QUE ZE SORS LA NUIT.

CE N'EST PAS UN JEU.

NYAR.

TILING TILING TILING

TAP TAP TAP

FAP FAP FAP

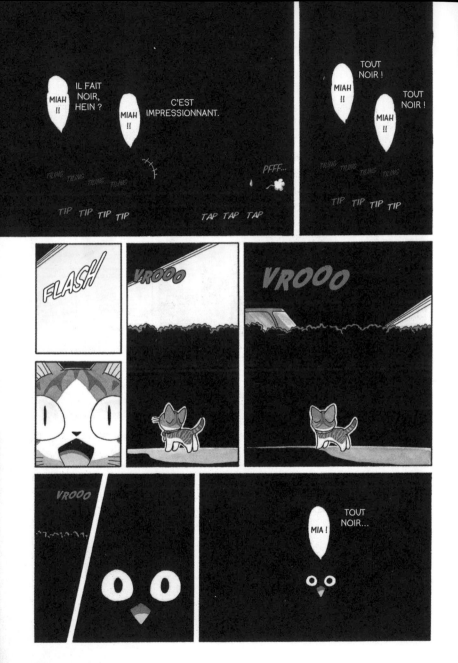

Chat pitre 108 / fin

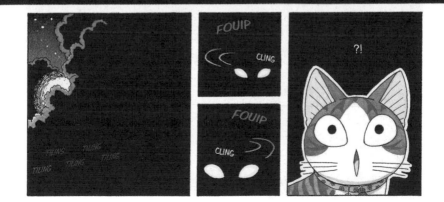

133

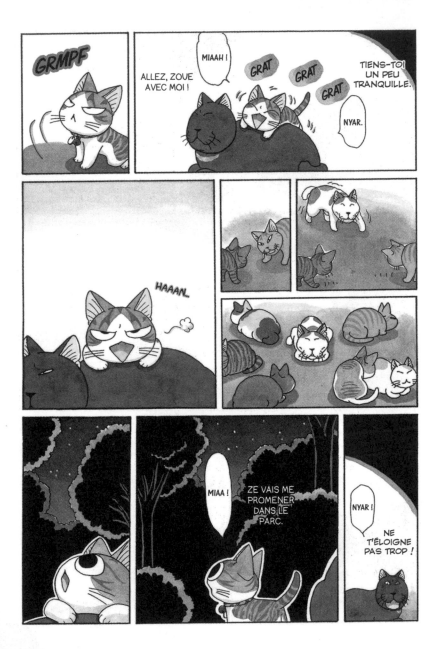

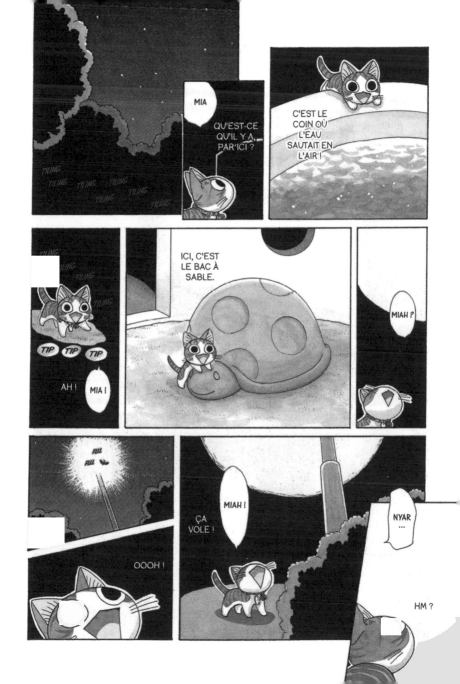

SILENCE...

Chat pitre 109 / fin

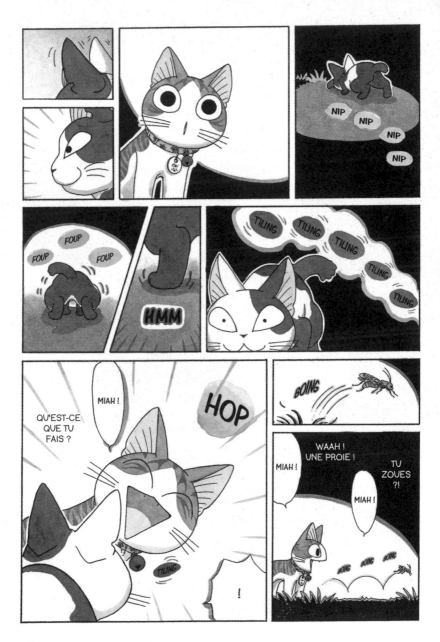

141

142

145

Chi - Une vie de chat tome 6 / fin

Chi se poursuit en dessin animé !

LCI
Le Chat Infos

News spéciale

Chi de retour en dessin animé

LA DIFFUSION DE LA SAISON 1 D'*UNE VIE DE CHAT* EN DESSIN ANIMÉ A CONNU UN VIF SUCCÈS AU JAPON ! AUSSI LA SAISON 2 A-T-ELLE COMMENCÉ LE 30 MARS 2009 DANS L'ARCHIPEL.

Et peut-être un jour en France ?

Konami Kanata

L'HISTOIRE REPREND À L'ÉPISODE DU DÉMÉNAGEMENT DE LA FAMILLE YAMADA, QUAND ELLE QUITTE L'IMMEUBLE INTERDIT AUX ANIMAUX.

NYAAR !

Noiraud

ZE DOIS VITE PRÉVENIR TOUT LE MONDE !

— TIP TIP TIP

NYAAAN !

Je serai ravie d'apparaître moi aussi dans ce dessin animé.

MERCI !

AU SUIVANT !

— TIP TIP TIP

...

?

OUI, BON, BREF, ON RETROUVERA TOUS MES AMIS À LA TÉLÉVISION !

Profitons-en pour faire plus ample connaissance avec les personnages...

Voici les nouveaux voisins de Chi, qui apparaissent dans la saison 2 de la série. Nous vous présentons ici les esquisses préparatoires et le profil des principaux personnages, réalisés pour le dessin animé ! Grâce à cette adaptation télévisée, nous découvrons des facettes de leurs personnalités restées cachées jusque-là !

DAVID ET SON MAÎTRE

NOM : Yuki Kusano.
ÂGE : 12 ans.
FAMILLE : Il vit avec son père, sa mère et sa sœur aînée.
CARACTÈRE : Gentil et actif. Il est doué pour le sport (en particulier le base-ball).

PRÉNOM : David.
SEXE : Mâle.
RACE : Beagle.
ÂGE : Environ 6 mois.
PROPRIÉTAIRE : La famille Kusano.
CARACTÈRE : Toujours en forme et gentil. Il se montre parfois étourdi. Il obéit toujours à ses maîtres, surtout à Yuki.

MIMI ET KAZUYA FURUKAWA.

NOM : Mimi.
ÂGE : Inconnu.
SEXE : Inconnu.
RACE : Bélier hollandais.
PROPRIÉTAIRE : M. Furukawa.
CARACTÈRE : Mystérieux. Il ne parle pas beaucoup (voire jamais, en fait), et vit à son propre rythme.

NOM : Kazuya Furukawa.
ÂGE : 51 ans.
PROFESSION : Il travaille dans une agence de publicité.
CARACTÈRE : Très ouvert, il rit souvent aux éclats. Il adore voyager avec sa femme, et ramène toujours des souvenirs bizarres des pays qu'ils visitent.

MIAAAH...

ZE COMPRENDS MIEUX...

NOM : Saori Ijuin.
ÂGE : 26 ans.
PROFESSION : Auteure de livres pour enfants, sous le pseudonyme Yumé Hanabatake.
CARACTÈRE : Calme et douce. Elle se montre parfois étourdie.

NOM : Miké.
SEXE : Femelle.
RACE : Européen.
ÂGE : L'équivalent d'une quarantaine d'années humaines.
PROPRIÉTAIRE : Ses maîtres habitent une grande maison japonaise traditionnelle.
CARACTÈRE : Très gentille. Elle aime s'occuper des autres, mais elle n'a pas très bonne mémoire.

ALICE ET SAORI IJUIN.

MADAME TRICOLORE

NOM : Alice.
SEXE : Femelle.
RACE : Scottish Fold.
ÂGE : Entre un an et un an et demi.
PROPRIÉTAIRE : Saori Ijuin.
CARACTÈRE : Généralement hautaine et gracieuse, mais ses instincts de chat reprennent parfois le dessus.

LUCKY ET YASUKO AKASHI

Z'ESPÈRE QUE VOUS POURREZ REGARDER MON DESSIN ANIMÉ !

MIAAAH !

NOM : Lucky.
SEXE : Mâle.
ÂGE : L'équivalent de dix-huit années humaines.
PROPRIÉTAIRE : Famille Akashi.
SPÉCIALITÉ : Parler, et répéter ce qu'il entend.
CARACTÈRE : Pour un petit oiseau, il se montre courageux... ou plutôt belliqueux.

NOM : Yasuko Akashi.
ÂGE : La soixantaine.
PROFESSION : Femme au foyer.
CARACTÈRE : Généreuse et douce.

MIAAAH !

IL Y EN A
BEAUCOUP !

Petit dictionnaire
des onomatopées de Chi

Une Vie de chat contient beaucoup d'onomatopées. Si vous apprenez par cœur toute la liste, vous pourrez vous vanter d'être un fan ultime de Chi !

B
BOING BOING : Bruit que fait Chi quand elle saute partout, par exemple parce qu'elle est très énervée.

C
CROC CROC : Bruit que fait Chi en mordillant des objets, ou en mangeant ses croquettes.
CRONCH CRONCH : Bruit que fait Noiraud lorsqu'il mange de l'herbe.
CROUNCH CROUNCH : Bruit que fait Chi lorsqu'elle mange (son repas ou une proie).
CRSH CRSH : Bruit que fait Chi quand elle arrache les mouchoirs en papier de leur boîte, par exemple.

D
DAM DAM DAM, ou TAP TAP TAP : Bruit que fait Chi quand elle court.

F
FRRR FRR : Bruit que fait Chi en se frottant contre des objets moelleux. Comme cette sensation est le seul vague souvenir qu'elle garde de sa mère, Chi adore tout ce qui est moelleux.
FLAP FLAP : Bruit que fait Chi lorsqu'elle agite les pattes pour se débattre.
FOUAAAH : Bruit que fait Chi quand elle bâille.
FOUP FOUP : Bruit que fait Chi en remuant sa queue ou en agitant son arrière-train. Quand elle tourne la tête, ça fait "FOUIP".
FROT FROT : Bruit des caresses sur la tête de Chi.
FROT FROT, ou FROTT FROTT : Bruit que fait Chi quand elle s'essuie en se frottant avec la patte après avoir été aspergée d'eau. Elle peut aussi faire "SLUP SLUP" si elle se lèche pour sécher ses poils.

G
GLOUPS : Bruit que fait Chi quand elle sursaute, ou qu'elle est surprise par un bruit soudain.
GNNN : Bruit que fait Chi lorsqu'elle pousse un objet lourd.
GRAT GRAT, ou GRATT GRATT : Bruit que fait Chi quand elle aiguise ses griffes.
GROUIK : Bruit que fait le ventre de Chi quand elle a faim.

H
HIII : Bruit que fait Chi lorsqu'elle a très peur.

K
KSSS, ou FHHH : Bruit que fait Chi quand elle protège la maison : elle montre les crocs et feule contre l'envahisseur !

N
NIP NIP : Bruit très léger que fait Chi lorsqu'elle se faufile derrière une proie.

O
OOOH : Bruit que fait Chi lorsqu'elle mange quelque chose de vraiment délicieux, ou lorsqu'elle s'endort à un endroit où elle se plaît particulièrement, et plus généralement lorsqu'elle est heureuse.

P
PAF PAF : Un des bruits que fait Chi en frappant certains objets.
PLAF PLAF : Bruit que fait Chi en martelant le sol de la queue.
POUT POUT : Bruit que fait Chi en frottant son derrière contre un objet.
PSSS : Bruit que fait Chi en faisant pipi. En japonais, ça fait aussi "CHIII", d'où le nom que lui ont donné ses maîtres.

R
RONRON : Bruit que fait Chi avec sa gorge quand elle est heureuse.

S
SLUP SLUP : Bruit que fait Chi en se léchant.

T
TAP TAP TAP : Bruit que fait Noiraud quand il marche sur un sol dur.
TIP TIP TIP : Bruit que fait Chi en marchant à petits pas.
TSING : Bruit que fait Chi lorsqu'elle fixe quelque chose du regard.

V
VOUUU, ou PSHOUUU, ou PSSSHOUUU : Bruit que fait l'aspirateur. La plupart des chats ont très peur de ce bruit, mais depuis que Chi l'associe à l'agréable massage de la brosse, elle l'adore !

Z
ZOUIP : Bruit que fait Chi en se retournant.

CHI – UNE VIE DE CHAT

Traduction : Kayo Chassaigne et Élodie Lepelletier
Correction : Yoann Passuello
Lettrage : Aurélien Flamant

Éditions Glénat
Couvent Sainte-Cécile – 37, rue Servan – 38000 Grenoble
ISBN : 978-2-7234-8363-6
ISSN : 1253-1928
Dépôt légal : septembre 2011

Imprimé en Italie en juillet 2013 par L.E.G.O. S.p.A.

www.glenatmanga.com

CHI & COCCHI

Tantôt ils s'entendent comme larrons en foire,
tantôt ils se battent comme des chiffonniers…

Retrouvez nos deux petites terreurs dans le tome 7, en vente en février prochain !